Les Lectures ELI présentent une gamme complète de publications allant des histoires contemporaines et captivantes aux émotions éternelles des grands classiques. Elles s'adressent aux lecteurs de tout âge et sont divisées en trois collections : Lectures ELI Poussins, Lectures ELI Juniors, Lectures ELI Seniors. En dehors de la qualité éditoriale, les Lectures ELI fournissent un support didactique facile à gérer et capturent l'attention des lecteurs avec des illustrations ayant un fort impact artistique et visuel.

Lectures ELI Juniors

ANTOINE DE SAINT-EXUPÉRY

Le Petit Prince

Adaptation et activités de Domitille Hatuel
Illustrations de Philip Giordano

Antoine de Saint-Exupéry
Le Petit Prince
Adaptation et activités de Domitille Hatuel
Illustrations de Philip Giordano

Lectures ELI
Création de la collection et coordination éditoriale
Paola Accattoli, Grazia Ancillani, Daniele Garbuglia (Directeur artistique)

Conception graphique
Airone Comunicazione, Sergio Elisei

Mise en page
Airone Comunicazione, Diletta Brutti

Responsable de production
Francesco Capitano

B.P. 6 - 62019 Recanati - Italie
Tél. +39 071 750701
Fax +39 071 977851
info@elionline.com
www.elionline.com

Fonte utilisée 13 / 18 points Monotype Dante

Achevé d'imprimer en Italie par Tecnostampa Recanati
ERT 121.01
ISBN 978-88-536-2013-2

Première édition Mars 2015

www.elireaders.com

La certification du Conseil de la bonne gestion forestière ou FSC certifie que les coupes forestières pour la production du papier utilisé pour ces publications ont été effectuées de manière responsable grâce à des pratiques forestières respectueuses de l'environnement.

Cette collection de lectures choisies et graduées = 5000 arbres plantés.

Sommaire

Les parties de l'histoire enregistrées sur le CD sont signalées par les symboles qui suivent :

Début ▶ **Fin** ■

Activités de pré-lecture

1 **Connais-tu le petit prince ? Si oui, raconte en quelques lignes ce que tu sais. Si non, imagine de qui il s'agit et de quoi parle son histoire.**

....

....

....

....

....

....

....

....

....

....

....

....

DELF - Production écrite

2 **Observe la couverture du livre et fais la description physique du petit prince.**

3 **Lis la dédicace originale du livre et réponds aux questions.**

À Léon Werth.*
Je demande pardon aux enfants d'avoir dédié ce livre à une grande personne. J'ai une excuse : cette grande personne est le meilleur ami que j'ai au monde. J'ai une autre excuse : cette grande personne peut tout comprendre, même les livres pour enfants. J'ai une troisième excuse : cette personne habite la France où elle a faim et froid. Elle a bien besoin d'être consolée. Si toutes ces excuses ne suffisent pas, je veux bien dédier ce livre à l'enfant qu'a été autrefois

cette grande personne. Toutes les grandes personnes ont d'abord été des enfants. (Mais peu d'entres elles s'en souviennent.) Je corrige donc ma dédicace :

À Léon Werth
quand il était petit garçon.

* Léon Werth est un ami d'Antoine de Saint-Exupéry. Les deux hommes se rencontrent en 1932. Léon Werth est israélite et a 23 ans de plus que l'écrivain. Pendant la guerre, cet homme réconforte Antoine de Saint-Exupéry. Lors de la sortie du Petit Prince, en 1943, le monde est en guerre et Léon Werth se réfugie en France.

1 Qui est Léon Werth pour Antoine de Saint-Exupéry ?

....

....

2 Que peut comprendre Léon Werth ?

....

....

3 Pourquoi Léon Werth a-t-il besoin d'être consolé ?

....

....

4 À qui est réellement dédié le Petit Prince ?

....

....

5 Pourquoi ?

....

....

Chapitre 1

2 J'ai six ans quand je dessine pour la première fois un boa qui mange un éléphant.

Je souhaite devenir peintre, mais malheureusement, les adultes ne comprennent pas mon dessin. Ils voient un chapeau. Ça me décourage parce que les grandes personnes ne comprennent jamais rien toutes seules. Il faut toujours expliquer et c'est fatigant pour les enfants de toujours expliquer.

Alors, j'apprends à piloter des avions. Et je vais un peu partout dans le monde. Je rencontre beaucoup de personnes sérieuses grâce à mon métier. Je vois donc les grandes personnes de très près et je ne change pas d'avis. Je refais l'expérience avec mon dessin. À chaque fois, les adultes répondent : « C'est un chapeau. » Alors, je ne peux pas parler de serpents boas et je me mets à leur niveau et discute politique ou golf.

CHAPITRE 1

Je vis seul, sans personne avec qui parler vraiment pendant longtemps. Il y a six ans, dans le désert du Sahara, j'ai une panne. Mon moteur a un problème et je suis seul pour le réparer. C'est une question de vie ou de mort. Je n'ai de l'eau que pour huit jours.

Le premier soir, je m'endors seul loin de tout être humain. Vous imaginez ma surprise quand le matin, une petite voix me réveille. Elle me dit :

– S'il vous plaît... dessine-moi un mouton !

– Quoi ?

– Dessine-moi un mouton...

Je me lève vite et je regarde devant moi. Il y a un petit bonhomme extraordinaire. Voici son dessin. Il est moins ravissant* que le modèle, mais c'est tout ce que je sais faire.

Ce garçon n'a pas l'air d'être perdu*, ni d'avoir faim ou soif. Je réussis à lui demander :

– Qu'est-ce que tu fais là ?

Lui, il répète :

– S'il vous plaît... dessine-moi un mouton...

ravissant joli, beau

être perdu ne pas savoir où on est

Même si je trouve ça absurde, je prends une feuille de papier et un stylo. Je dis tout de même au garçon que je ne sais pas dessiner :

– Ça ne fait rien, dit-il.

Je n'ai jamais dessiné de mouton, alors je refais le dessin du boa. Je suis stupéfait quand il me répond :

– Non ! Je ne veux pas d'un éléphant dans un boa. Un boa, c'est très dangereux et un éléphant, c'est trop grand. C'est petit chez moi. J'ai besoin d'un mouton.

Alors, je recommence. Je fais plusieurs dessins car le petit prince n'est jamais satisfait. Mais, je dois réparer mon avion. Alors, je fais ce dessin.

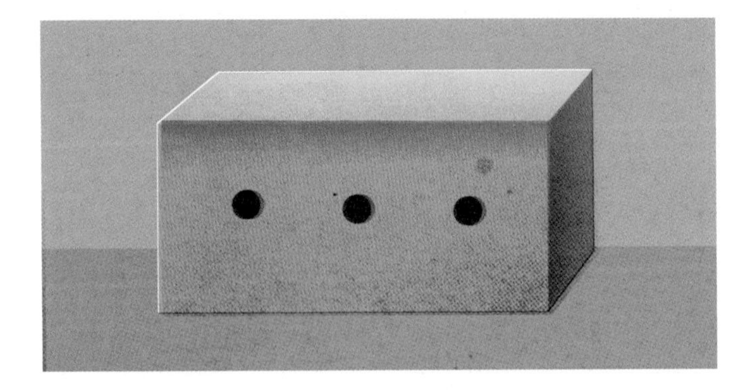

– Voilà sa caisse. Le mouton que tu veux est dedans.

Là, mon ami est heureux :

– C'est exactement comme ça que je le veux.

C'est ainsi que je fais la connaissance du petit prince.

Le petit prince pose beaucoup de questions, mais ne répond pas aux miennes. Quand je lui apprends que je peux voler avec mon avion, il dit :

– Tu es tombé du ciel toi aussi ? De quelle planète es-tu ?

– Tu es d'une autre planète, je demande aussitôt. Où veux-tu emporter mon mouton ?

J'apprends alors que la planète du petit prince est toute petite.

Je pense que la planète du petit prince est l'astéroïde B 612. Cet astéroïde a été vu en 1909 par un astronome turc. Mais à l'époque, personne ne le croit à cause de son costume. En 1920, le même astronome refait sa démonstration, cette fois habillé de manière élégante et tout le monde le croit. Les grandes personnes sont comme ça. Les grandes personnes aiment les chiffres. C'est pour cela que je vous parle de l'astéroïde B 612. Moi, j'aurais aimé commencer cette histoire comme un conte de fée en écrivant :

« Il était une fois un petit prince qui habitait une planète à peine plus grande que lui, et qui avait besoin d'un ami. »

Cela fait six ans que mon ami est parti avec mon mouton. Je ne veux pas l'oublier.

Activités de post-lecture

Compréhension

1 Vrai ou faux ? Coche les bonnes réponses.

		V	F
	C'est le petit prince qui raconte l'histoire.	☐	☑
1	Le narrateur fait son premier dessin il y a 6 ans.	☐	☐
2	Les adultes ne comprennent pas son premier dessin.	☐	☐
3	Le narrateur est pilote.	☐	☐
4	Le narrateur a une panne de voiture.		
5	Le narrateur se trouve dans le désert du Sahara.	☐	☐
6	Le narrateur a beaucoup d'eau en réserve.	☐	☐

2 Réponds aux questions.

Par qui est réveillé le narrateur le matin ?
La voix du petit prince. ....

1 Que demande-t-il au narrateur ?

....

2 Comment réagit le garçon en voyant le premier dessin du narrateur ?

....

3 Est-ce que le petit prince répond aux questions du narrateur ?

....

4 Que pense le petit prince quand le narrateur lui parle de son avion ?

....

5 D'où vient le petit prince ?

....

6 Que pense le narrateur des grandes personnes ?

....

Grammaire

3 Le petit prince pose beaucoup de questions. Toi aussi, écris des phrases interrogatives à partir des mots donnés.

1 Âge

....

2 Habiter

....

3 Loisirs

....

4 Famille

....

5 Un nouvel ami

....

6 Dessiner

....

Activité de pré-lecture

Vocabulaire

4 Classe par catégorie les fleurs et les arbres.

Pâquerette
Platane
Rose
Iris
Olivier
Chêne
Tulipe
Baobab
Pivoine
Violette
Pin
Sapin

FLEURS	ARBRES
....	....
....	....
....	....
....	....
....	....
....	....

Chapitre 2

3 Tous les jours, mon ami m'apprend quelque chose.

Grâce à mon mouton, le petit prince demande :

– C'est bien vrai que les moutons mangent les arbustes* ?

– Oui. C'est vrai.

– Ah ! Je suis content ! Ils mangent aussi les baobabs alors.

– Mais, les baobabs ne sont pas des arbustes. Ce sont des arbres gigantesques.

– Mais avant de grandir, ils sont petits.

– C'est exact. Pourquoi veux-tu que les moutons mangent les petits baobabs ?

Mon ami m'explique que comme partout ailleurs, des mauvaises herbes poussent sur sa planète. Et chez lui, ces mauvaises herbes sont des baobabs. Le sol de sa planète en est infesté. Et si l'on s'y prend trop tard, on ne peut plus s'en débarrasser. Le baobab est un arbre puissant capable de faire

les arbustes les petits arbres

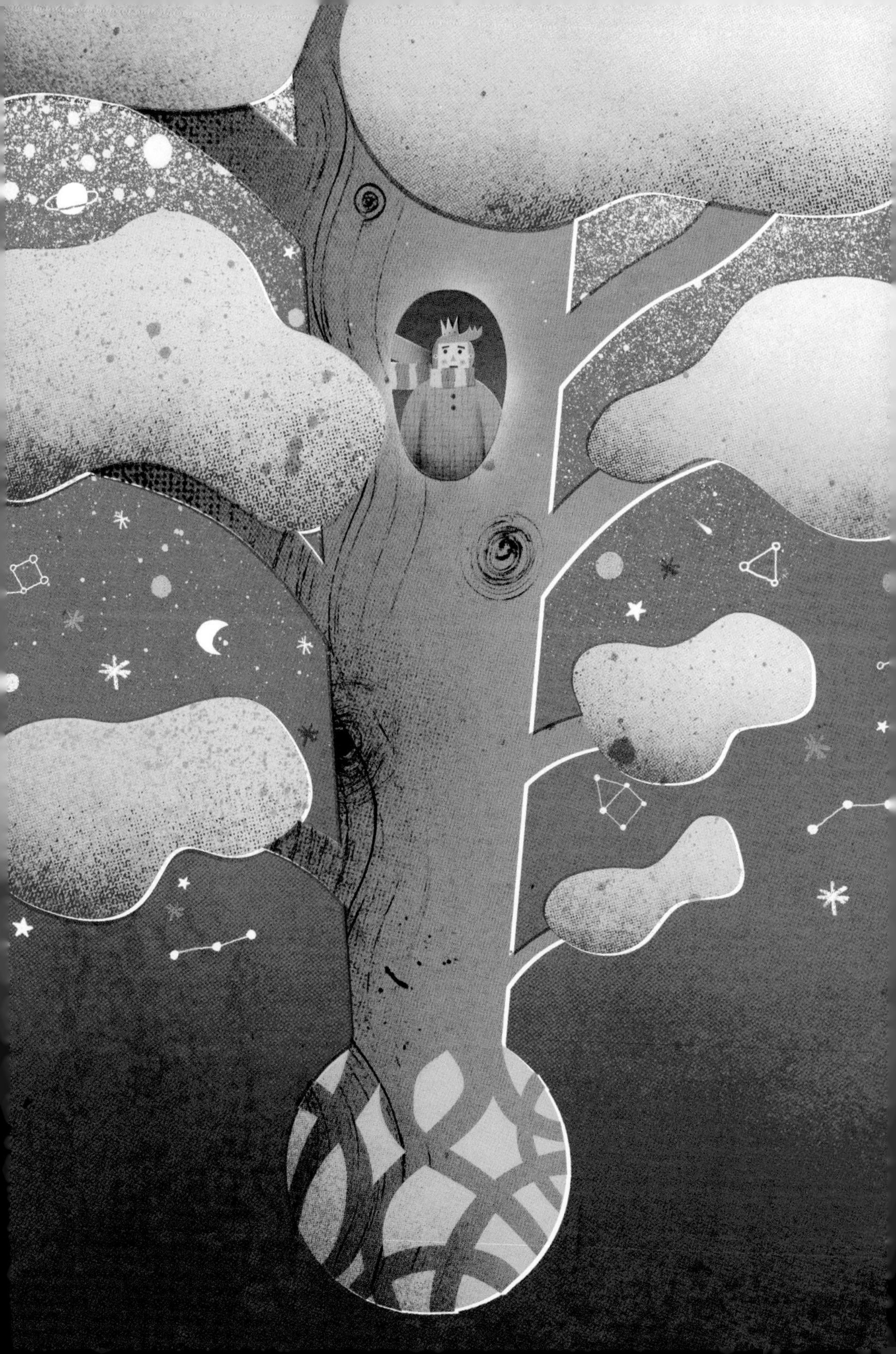

exploser les planètes trop petites. Pour le petit prince, c'est sa discipline. Tous les matins, après sa toilette, il nettoie sa planète. Il arrache* les baobabs.

Un jour, le petit prince me demande :

– Si les moutons mangent des arbustes, ils mangent aussi des fleurs ?

– Un mouton mange tout ce qu'il rencontre.

– Même les fleurs avec des épines ?

– Oui.

– Alors, elles servent à quoi les épines ?

À ce moment-là, je suis énervé parce que ma réparation n'avance pas et que l'eau s'épuise*. Je suis inquiet et je réponds n'importe quoi :

– Les épines, ça ne sert à rien ! C'est de la méchanceté de la part des fleurs.

– Je ne crois pas. Les fleurs sont faibles et naïves.

– Je m'occupe de choses sérieuses moi !

– Quoi ? Des choses sérieuses ? Tu parles comme les grandes personnes !

J'ai honte*. Il continue à parler :

– Tu confonds tout ! Je connais une planète où

arracher enlever
s'épuiser diminuer
avoir honte être embarrassé

il y a un monsieur qui n'a jamais respiré une fleur, il n'a jamais regardé une étoile, il n'a jamais aimé personne. Il n'a fait que des additions toute sa vie et il répète sans cesse : « Je suis un homme sérieux, moi. » Mais, ce n'est pas un homme, c'est un champignon !

Le petit prince est très en colère.

– Il y a des millions d'années que les fleurs fabriquent des épines. Il y a des millions d'années que les moutons mangent quand même les fleurs. Et ce n'est pas sérieux de chercher à comprendre pourquoi les fleurs ont des épines qui ne servent à rien ? Ce n'est pas plus sérieux et plus important que les additions ? Et si moi je connais une fleur unique au monde, qui n'existe nulle part sauf dans ma planète, et qu'un petit mouton peut la tuer d'un coup, comme ça, ce n'est pas important ? Si quelqu'un aime une fleur qui n'existe qu'à un exemplaire dans les millions et millions d'étoiles, ça suffit pour qu'il soit heureux quand il les regarde. Mais, si le mouton mange la fleur, c'est pour lui, comme si brusquement toutes les étoiles s'éteignaient ! Et ce n'est pas important ?

Le petit prince ne peut plus parler, il pleure. Plus rien n'a alors d'importance, je dois consoler le petit prince. Je dis :

– La fleur que tu aimes n'est pas en danger. Je vais dessiner une muselière* à ton mouton.

Le petit prince me raconte son histoire et j'apprends à connaître cette fleur. Il y a d'autres fleurs sur la planète du petit prince : elles sont simples, apparaissent le matin et disparaissent le soir. Mais, un jour, une graine particulière germe. Le petit prince la remarque. La brindille* qui pousse ne ressemble pas aux autres brindilles. Le petit prince a peur de voir pousser un baobab, mais en réalité c'est une fleur. Mais, elle prend tout son temps : elle veut être parfaite au moment où elle se montrera. Elle est coquette* ! Enfin, un matin, elle se montre et elle dit :

– Ah, je me réveille à peine. Je m'excuse, je suis toute décoiffée*.

– Que vous êtes belle, répond le petit prince, plein d'admiration.

une muselière appareil que l'on met sur le museau de certains animaux pour ne pas mordre

la brindille petite branche

coquette élégante

décoiffée pas coiffée

– N'est-ce pas…

Cette fleur n'est pas modeste, mais le petit prince la trouve émouvante*.

– Je crois que c'est l'heure du petit déjeuner. Pouvez-vous penser à moi ? demande la fleur.

Et le petit prince part chercher de l'eau. Un autre jour, elle dit :

– J'ai horreur des courants d'air*. Le soir, vous me mettrez sous globe. Il fait très froid chez vous.

Cette fleur est vaniteuse, mais le petit prince prend au sérieux des mots sans importance et devient très malheureux.

– Je n'aurais pas dû écouter cette fleur. Les fleurs, il faut les respirer et les regarder, mais il ne faut jamais les écouter. Je n'ai rien compris. J'aurais dû la juger sur ses actes et non sur les mots. Je n'aurais jamais dû m'enfuir. Mais, j'étais trop jeune pour savoir l'aimer.

Le petit prince profite d'une migration d'oiseaux sauvages pour partir. Il range sa planète et il ramone* ses volcans. En effet, sur sa planète il y a

émouvante attachante
le courant d'air souffle d'air
ramoner nettoyer

trois volcans. Deux sont en activité : c'est pratique pour faire chauffer son petit déjeuner et un est éteint, mais il pense « On ne sait jamais. » Le petit prince arrache aussi quelques pousses de baobabs. En allant arroser sa fleur, il a envie de pleurer et il dit :

– Adieux.

Mais, la fleur tousse :

– Je te demande pardon. Je t'aime et je n'ai rien dit. Nous avons été sots tous les deux. Tâche d'être heureux.

Le petit prince veut lui mettre son globe, mais elle dit :

– Je ne suis pas si enrhumé que ça.

– Et les bêtes ?

– Je peux bien supporter deux ou trois chenilles*. Elles me tiendront compagnie. Et pour les grosses bêtes, j'ai mes griffes.

Et elle montre ces quatre épines.

la chenille larve de papillon

Activités de post-lecture

Compréhension

1 Coche les bonnes réponses.

Les moutons mangent
a ☑ les arbustes.
b ☐ les baobabs.
c ☐ les volcans.

1 Les baobabs sont
a ☐ en danger sur la planète du petit prince.
b ☐ un danger pour la planète du petit prince.
c ☐ une chance pour la planète du petit prince.

2 Tous les matins, le petit prince
a ☐ plante des arbres.
b ☐ mange des fruits.
c ☐ arrache les baobabs.

3 Le narrateur est énervé parce que
a ☐ sa réparation n'avance pas.
b ☐ le petit prince pose trop de questions.
c ☐ les fleurs ont des épines.

4 Le petit prince aime
a ☐ un mouton unique au monde.
b ☐ un baobab unique au monde.
c ☐ une fleur unique au monde.

5 Le narrateur propose de dessiner
a ☐ une laisse.
b ☐ une muselière.
c ☐ une niche.

6 La fleur du petit prince est (4 réponses)
a ☐ belle.
b ☐ modeste.
c ☐ coquette.
d ☐ émouvante.
e ☐ vaniteuse.
f ☐ sérieuse.

Vocabulaire

2 Fais une description physique et caractérielle de la fleur du petit prince.

DELF - Production écrite

3 À ton tour, décris une personne ou un objet que tu aimes beaucoup.

Activité de pré-lecture

Vocabulaire

4 Associe les mots à leurs définitions.

- [f] Le médecin
- **1** [ ] Le géographe
- **2** [ ] Le businessman
- **3** [ ] L'écrivain
- **4** [ ] Le peintre
- **5** [ ] Le banquier
- **6** [ ] Le professeur

- **a** Personne dont le métier consiste à effectuer des travaux de peinture.
- **b** Spécialiste de géographie.
- **c** Personne qui enseigne une matière.
- **d** Personne qui dirige ou possède une banque.
- **e** Personne qui écrit des livres.
- ~~**f**~~ Personne qui exerce la médecine, qui soigne.
- **g** Homme d'affaires.

Chapitre 3

▶ 4 Le petit prince se trouve dans la région des astéroïdes 325, 326, 327, 328, 329 et 330. Il veut donc les visiter pour s'instruire.

Le premier est habité par un roi. Il est habillé de pourpre et d'hermine et siège sur un trône très simple et majestueux.

En voyant le petit prince, il dit :

– Ah, voilà un sujet !

Le roi est content d'avoir enfin un sujet. Mais, le petit prince ne sait pas que pour un roi, tous les hommes sont des sujets.

– Approche-toi.

Le petit prince veut s'asseoir, mais la planète est recouverte par le manteau du roi. Alors, le petit prince se tient debout devant le roi. Comme il est fatigué, il baille*. Mais, le roi dit :

– Il est interdit de bailler devant le roi !

bailler ouvrir la bouche à cause de la fatigue

– Je ne peux pas m'en empêcher*. J'ai beaucoup voyagé, je suis fatigué.

– Alors, je t'ordonne de bailler.

Le roi ne peut supporter la désobéissance. C'est un monarque absolu.

– Est-ce que je peux m'asseoir ?

– Je t'ordonne de t'asseoir !

Le petit prince est étonné. La planète du roi est très petite. Sur quoi peut-il régner ?

– Sire, je vous demande pardon de vous interroger...

s'empêcher éviter

– Je t'ordonne de m'interroger.

– Sire, sur quoi régnez-vous ?

– Sur tout ! Ma planète et les étoiles.

– Et les étoiles vous obéissent ?

– Bien sûr.

– Sire, pouvez-vous ordonner un coucher de soleil ?

– Il faut exiger de chacun ce que chacun peut donner. L'autorité repose d'abord sur la raison. J'ai le droit d'exiger l'obéissance parce que mes ordres sont raisonnables.

– Et mon coucher de soleil, alors ?

– Tu l'auras en temps voulu. Ce sera ce soir, vers sept heures quarante.

Le petit prince s'ennuie déjà.

– Je n'ai plus rien à faire ici, je m'en vais.

– Non, ne pars pas !

– Donnez-moi l'ordre de partir avant une minute et vous serez obéi.

Le roi ne répond pas. Le petit prince part. Il pense :

« Les grandes personnes sont bien étranges. »

Le petit prince visite une autre planète. Elle est habitée par un businessman. Cet homme est trop occupé pour lever la tête devant le petit prince.

– Bonjour, votre cigarette est éteinte, dit le petit prince.

– Trois et deux font cinq. Cinq et sept douze. Douze et trois quinze. Bonjour. Quinze et sept vingt-deux. Vingt-deux et six vingt-huit. Pas le temps de la rallumer. Vingt-six et cinq trente et un. Ouf ! Ça fait donc cinq cent un millions six cent vingt-deux mille sept cent trente et un.

– Cinq cents millions de quoi ?

– Hein ? Tu es encore là ? Cinq cents millions de ... je ne sais plus... j'ai tellement de travail ! Je suis sérieux, moi, je ne m'amuse pas !

– Cinq cents millions de quoi ? répète le petit prince qui ne renonce jamais à une question.

– J'habite ici depuis cinquante-quatre ans et je n'ai été dérangé* que trois fois. Je suis sérieux moi, je n'ai pas le temps de flâner*. Donc, je disais cinq cent un millions...

déranger bouleverser

flâner se promener, perdre son temps

– Millions de quoi ?

Le businessman comprend que le petit prince ne le laissera pas et il dit :

– Millions de petites choses que l'on voit dans le ciel.

– Des mouches ?

– Mais non. Des petites choses qui brillent.

– Des abeilles ?

– Non ! Des petites choses dorées qui font rêver les fainéants*. Mais, moi, je suis sérieux. Je n'ai pas le temps de rêver.

– Ah ! Des étoiles !

– Oui, des étoiles !

– Et que fais-tu de cinq cents millions d'étoiles ?

– Cinq cent un millions six cent vingt-deux mille sept cent trente et un. Je suis sérieux, moi, je suis précis !

– Et que fais-tu de ces étoiles ?

– Rien. Je les possède.

– Et à quoi te sert-il de posséder les étoiles ?

– Ça me sert à être riche.

– Et à quoi te sert-il d'être riche ?

les fainéants qui ne font rien

– À acheter d'autres étoiles.

– Mais que fais-tu des étoiles ?

– Je les gère. Je les compte et les recompte. C'est difficile. Je suis un homme sérieux. J'écris sur un bout de papier le nombre de mes étoiles et j'enferme ce papier dans un tiroir.

– C'est tout ?

Le petit prince ne trouve pas ça sérieux du tout. Mais, le petit prince a sur les choses sérieuses des idées très différentes des idées des grandes personnes.

– Moi, je possède une fleur que j'arrose tous

les jours. Je possède trois volcans que je ramone toutes les semaines. C'est utile à ma fleur et à mes volcans que je les possède. Mais, tu n'es pas utile aux étoiles.

Le businessman ne sait que répondre et le petit prince repart en pensant : « Les grandes personnes sont vraiment extraordinaires. »

Le petit prince visite ensuite une vaste planète. Elle est habitée par un vieux monsieur qui écrit d'énormes livres.

– Tiens voilà un explorateur, dit-il en voyant le petit prince. D'où viens-tu ?

– Quel est ce gros livre ? Que faites–vous ?

– Je suis géographe.

– Qu'est-ce qu'un géographe ?

– C'est un savant qui connaît où se trouvent les mers, les fleuves, les villes, les montagnes et les déserts.

– C'est intéressant ça. C'est un véritable métier, dit le petit prince.

Le petit prince regarde autour de lui : il n'a jamais vu une planète si majestueuse. Le petit prince est curieux :

– Elle est bien belle votre planète ! Est-ce qu'il y a des océans ?

– Je ne sais pas, dit le géographe.

– Et des villes et des fleuves et des déserts ?

– Je ne le sais pas non plus.

– Mais, vous êtes géographe !

– Oui, mais je ne suis pas explorateur. Je manque d'explorateurs. Ce n'est pas le géographe qui compte les villes, les fleuves et les montagnes. Le géographe est trop important pour flâner. Il ne quitte jamais son bureau. Mais, il y reçoit les explorateurs. Il les interroge et note leurs souvenirs. Quand les souvenirs semblent intéressants, on exige de l'explorateur qu'il fournisse des preuves. Par exemple, pour une grosse montagne, on demande de grosses pierres. Mais, toi tu viens de loin ?

– Oh, chez moi, ce n'est pas très intéressant. C'est tout petit. Il y a trois volcans : deux volcans en activité et un éteint. J'ai aussi une fleur.

– Nous ne notons pas les fleurs.

– Pourquoi ? C'est le plus joli !

– Parce que les fleurs sont éphémères.

– Qu'est-ce que ça signifie ?

– Les géographies sont des livres sérieux. Il est rare qu'une montagne change de place ou qu'un océan se vide. Nous écrivons les choses éternelles.

– Mais que signifie « éphémère » ?

– Ça signifie « qui est menacé de disparition prochaine ».

– Ma fleur est menacée de disparition prochaine ?

– Bien sûr !

Le petit prince regrette d'avoir laissé sa fleur éphémère toute seule. Il pense : « Elle n'a que quatre épines pour se défendre. »

– Que me conseillez–vous de visiter ?

– La planète Terre, dit le géographe. Elle a bonne réputation.

Compréhension

1 Coche V (Vrai) ou F (Faux).

		V	F
	Le petit prince visite un seul astéroïde.	☐	☑
1	Le petit prince rencontre un autre prince.	☐	☐
2	La première planète visitée est petite.	☐	☐
3	Le roi ne supporte pas la désobéissance.	☐	☐
4	Le roi peut ordonner un coucher de soleil.	☐	☐
5	Le businessman n'a jamais été dérangé.	☐	☐
6	Le businessman compte les étoiles.	☐	☐
7	Le businessman a le temps de flâner.	☐	☐
8	Le petit prince trouve le businessman très sérieux.	☐	☐
9	Le géographe vit sur une grande planète.	☐	☐
10	Le géographe connaît bien sa planète.	☐	☐
11	Les géographies sont des livres éphémères.	☐	☐
12	Le géographe conseille de visiter la Terre.	☐	☐

DELF - Production écrite

2 Imagine. Le géographe décide d'inscrire la planète du petit prince dans sa géographie. Écris le texte descriptif de l'astéroïde B 612.

....

....

....

....

....

....

....

....

Vocabulaire

3 Complète le texte avec les mots donnés.

sable • déserts • montagnes • ~~planète~~ • pays • mers • frontières • continents • océans • lacs • îles

Notre ......*planète*...... s'appelle la Terre. Il y a six (**1**) .... : l'Europe, l'Afrique, l'Amérique, l'Océanie, l'Asie et l'Antactique. Chaque continent contient des (**2**) .... séparés par des (**3**) .... L'eau couvre la majorité de la planète. On compte cinq (**4**) .... : le Pacifique, l'Atlantique, l'Indien, le Glacial Arctique et l'Austral. Il y a aussi d'autres étendues d'eaux salées, les (**5**) .... et de petites étendues d'eaux douces, les (**6**) .... Au milieu de ses étendues d'eau, il peut y avoir des (**7**) .... Les (**8**) .... sont des élévations du sol ; le Mont-Blanc est le plus haut sommet de France avec ses 4 810 m. Les (**9**) .... sont des étendues vides recouvertes par du (**10**) ....

Activité de pré-lecture

Grammaire

4 Conjugue les verbes entre parenthèses au conditionnel présent.

Il (devoir) ......*devrait*...... travailler plus.

1 Nous (vouloir) .... visiter ce pays.
2 Elles (aimer) .... partir avec lui.
3 Tu (pouvoir) .... l'aider à discuter avec sa fleur.
4 Je (parler) .... avec lui si je pouvais.
5 Il ne (voyager) .... pas tout seul.
6 Vous (aimer) .... le rencontrer ?

Chapitre 4

5 La Terre n'est pas une planète quelconque ! On compte environ deux milliards de grandes personnes. Mais, les hommes occupent très peu de place sur la Terre. On pourrait entasser* l'humanité sur un petit îlot du Pacifique. Le petit prince est très surpris en arrivant sur place de ne voir personne. Il a peur de s'être trompé* de planète. Comme quelque chose bouge dans le sable, il dit :

– Sur quelle planète suis-je ?

– Sur la Terre, en Afrique, répond un serpent.

– Ah ! ... Il n'y a personne sur la Terre ?

– Ici, c'est le désert. Il n'y a personne dans les déserts. La Terre est grande.

Le petit prince discute avec le serpent en regardant les étoiles :

– Regarde ma planète. Elle est juste au-dessus de nous... Mais, comme elle est loin.

entasser mettre ensemble **se tromper** faire erreur

– Elle est belle, dit le serpent. Que viens–tu faire ici ?

– J'ai des difficultés avec une fleur.

– Ah…

– Où sont les hommes ? On est un peu seul dans le désert…

– On est un peu seul aussi chez les hommes.

– Tu es une drôle de bête, mince comme un doigt.

– Mais, je suis plus puissant que le doigt d'un roi…

Pour lui montrer sa puissance, le serpent s'enroule autour de la cheville du petit prince en disant :

– Celui que je touche, je le rends à la terre. Mais, toi tu es pur et tu viens d'une étoile… Tu me fais pitié. Je pourrais t'aider si un jour tu regrettes trop ta planète.

Le petit prince continue sa route et arrive dans un jardin fleuri.

– Bonjour, dit le petit prince.

Là, toutes les roses ressemblent à sa fleur et toutes parlent.

– Bonjour.

– Qui êtes-vous ?

– Nous sommes des roses.

Le petit prince se sent très malheureux. Sa fleur lui a raconté qu'elle est seule de son espèce dans l'univers. Et là, il y a cinq mille fleurs toutes semblables dans un seul jardin.

Le petit prince repart. Une voix lui dit « Bonjour », mais il ne voit rien.

– Je suis là, sous le pommier*.

– Qui es-tu ?

– Je suis un renard*.

– Viens jouer avec moi, je suis tellement triste.

– Je ne peux pas jouer avec toi. Je ne suis pas apprivoisé.

– Qu'est-ce que signifie « apprivoiser » ?

– Tu n'es pas d'ici. Que cherches-tu ?

– Je cherche les hommes. Que signifie « apprivoiser » ?

– Les hommes, ils ont des fusils et ils chassent*. C'est bien gênant*. Ils élèvent aussi des poules.

le pommier arbre qui produit des pommes
le renard mammifère carnivore à la queue touffue, aux grandes oreilles, au museau pointu et au pelage roux
chasser tuer des animaux
gênant ennuyant

C'est leur seul intérêt. Tu cherches des poules ?

– Non, je cherche des amis. Que signifie « apprivoiser » ?

– Ça signifie « créer des liens. »

– Créer des liens ?

– Oui. Tu n'es qu'un petit garçon semblable à cent mille petits garçons. Je n'ai pas besoin de toi. Et tu n'as pas besoin de moi non plus. Mais, si tu m'apprivoises, nous aurons besoin l'un de l'autre. Tu seras pour moi unique au monde. Je serai pour toi unique au monde.

– Je comprends… Il y a une fleur… je crois qu'elle m'a apprivoisée.

– C'est possible… Ma vie est monotone tu sais. Je chasse les poules, les hommes me chassent. Toutes les poules se ressemblent et tous les hommes se ressemblent. Je m'ennuie. Mais, si tu m'apprivoises, ma vie sera comme ensoleillée. Tu as des cheveux couleur d'or. Alors, ce sera merveilleux quand tu m'auras apprivoisé. Le blé qui est doré me fera me souvenir de toi. Alors… s'il te plaît apprivoise-moi.

– Je veux bien. Mais, je n'ai pas beaucoup de temps. J'ai beaucoup de choses à connaître.

– On ne connaît que les choses que l'on apprivoise. Les hommes n'ont plus le temps de rien connaître. Ils achètent des choses toutes faites chez les marchands. Mais, comme il n'existe pas de marchands d'amis, les hommes n'ont plus d'amis. Si tu veux un ami, apprivoise-moi !

– Que faut-il faire ?

– Il faut être très patient. D'abord, tu devras t'asseoir un peu loin de moi et ne pas parler. Et chaque jour, tu pourras t'asseoir un peu plus près.

Le lendemain, le petit prince revient, mais le renard dit :

– Il faudrait que tu reviennes à la même heure. Si tu viens à quatre heures par exemple, dès trois heures, je commencerai d'être heureux et plus l'heure avancera et plus je serai heureux. Je découvrirai le prix du bonheur. Il faut des rites.

– Qu'est-ce qu'un rite ?

– C'est ce qui fait qu'un jour est différent des autres jours. Par exemple, mes chasseurs dansent le jeudi avec les filles du village. Alors, le jeudi est un jour merveilleux pour moi !

C'est comme ça que le petit prince apprivoise le renard.

Mais, un jour, le petit prince doit partir et le renard dit :

– Ah ! … je pleurerai…

– C'est ta faute. Je ne te souhaitais aucun mal, c'est toi qui a voulu que je t'apprivoise.

– Bien sûr…

– Alors, tu n'y gagnes rien.

– J'y gagne à cause de la couleur du blé. Va revoir les roses, tu comprendras que la tienne est unique au monde. Je te dis mon secret. Il est très simple. On ne voit bien qu'avec le cœur. L'essentiel est invisible pour les yeux. C'est le temps que tu as perdu pour ta rose qui fait ta rose si importante. Les hommes ont oublié cette vérité. Mais, tu ne dois pas l'oublier. Tu deviens responsable pour toujours de ce que tu as apprivoisé. Tu es responsable de ta rose…

– Je suis responsable de ma rose…

Compréhension

1 Coche V (Vrai) ou F (Faux).

		V	F
	Les hommes occupent beaucoup de place sur Terre.	☐	☑
1	À son arrivée, le petit prince rencontre des hommes.	☐	☐
2	Le petit prince arrive en Afrique.	☐	☐
3	Le serpent est très puissant.	☐	☐
4	Les roses parlent.	☐	☐
5	Le renard est apprivoisé par les hommes.	☐	☐
6	Le renard a une vie monotone.	☐	☐

2 Réponds aux questions.

Que cherche le petit prince sur Terre ?
Des hommes

1. Pourquoi le petit prince est-il malheureux de voir des roses ?
   ....
2. Que signifie « apprivoiser » ?
   ....
3. Que fait le petit prince avec le renard ?
   ....
4. Quel est le secret du renard ?
   ....

Vocabulaire

3 Classe les animaux selon leur catégorie : mammifères, oiseaux, reptiles.

le serpent - le renard - le crocodile - le chat - le canard - la poule - le singe - la vache

Mammifères	Oiseaux	Reptiles
....	....	....
....	....	....
....	....	....
....	....	....

Activité de pré-lecture

Grammaire

4 Conjugue les verbes entre parenthèse au futur.

Le blé me (faire) ....*fera*......... me souvenir de toi.

1 Je (être) .... heureux de penser à toi.
2 Nous (penser) .... aux fleurs.
3 Ils (chasser) .... le renard demain.
4 Demain soir, vous (faire) .... la fête et vous (danser) ....
5 Tu (comprendre) .... pourquoi ta fleur est unique.
6 Nous (appeler) .... le serpent.
7 J'(avoir) .... l'air triste.
8 Tu (être) .... arrivé.

Chapitre 5

6 Nous en sommes au huitième jour de ma panne dans le désert. Et je dis :

– Ah, ils sont bien jolis tes souvenirs, mais je n'ai pas encore réparé mon avion. Je n'ai plus rien à boire. On va mourir de soif…

– Cherchons un puits*.

Alors, on part tous les deux à la recherche d'un puits. On marche longtemps. Et la nuit tombe. Je vois les étoiles. Le petit prince est fatigué. On s'assoit. Il dit :

– Les étoiles sont belles, à cause d'une fleur que l'on ne voit pas… Et le désert est beau.

C'est vrai. J'ai toujours aimé le désert. On ne voit rien, on n'entend rien dans le désert et pourtant quelque chose rayonne en silence.

Le petit prince s'endort. Je le porte et continue la route. Il me semble que je porte un trésor fragile. Au matin, je suis devant un puits.

un puits trou dans la terre avec de l'eau

Le petit prince dit :

– Les hommes de chez toi cultivent cinq mille roses dans un même jardin et ils n'y trouvent pas ce qu'ils cherchent. Et pourtant ce qu'ils cherchent pourrait être trouvé dans une seule rose ou un peu d'eau. Mais, les yeux sont aveugles. Il faut chercher avec le cœur.

Je bois. Je me sens bien. Le petit prince dit :

– Tu ne dois pas oublier ta promesse.

– Quelle promesse ?

– Tu sais... une muselière pour mon mouton. Je suis responsable de cette fleur.

Je dessine alors une muselière. Mon cœur se serre en lui donnant le dessin.

– Tu as des projets que j'ignore...

– Tu sais... ma chute* sur la Terre... demain c'en sera l'anniversaire... J'étais tombé tout près d'ici.

J'éprouve du chagrin sans comprendre.

– Alors, ce n'est pas un hasard si je t'ai rencontré il y a huit jours ici. Tu te dirigeais vers le point de ta chute ?

la chute action de tomber

Le petit prince ne répond pas, mais il rougit*. Quand on rougit ça signifie « oui », n'est-ce pas ? Je dis alors :

– J'ai peur…

Le petit prince répond :

– Tu dois travailler. Tu dois réparer ta machine. Je t'attends ici. Reviens demain soir.

Je ne suis pas rassuré. Je me souviens du renard. On risque de pleurer si l'on s'est laissé apprivoiser…

Il y a à côté du puits une ruine* de vieux mur de pierre. Le lendemain, en arrivant, je vois le petit prince assis là-haut en train de parler :

– Tu ne t'en souviens pas ? Ce n'est pas tout à fait ici !

Il y a une autre voix qui répond :

– Si ! Si ! C'est bien le jour, mais ce n'est pas ici…

Moi, je ne vois pas avec qui mon ami parle.

– Tu as du bon venin ? Tu es sûr de ne pas me faire souffrir trop longtemps ?

rougir devenir rouge

une ruine édifice détruit

Je m'arrête en entendant cette phrase. Je ne comprends toujours pas.

– Maintenant, va-t-en, je veux redescendre.

Je baisse alors les yeux vers le pied du mur. Il y a un serpent jaune, comme ceux qui tuent en trente secondes. J'ai peur et je sors mon revolver. Mais, je fais du bruit et le serpent s'enfuit*. Je vais vers le petit prince qui tombe dans mes bras. Je le fais boire. Il est si pâle*. Je sens son cœur battre. Il me dit :

– Je suis content que ta machine marche de nouveau.

– Mais, comment le sais-tu ?

Je venais justement lui annoncer que mon avion était réparé. Il dit alors :

– Moi aussi, je rentre chez moi. Mais, c'est bien plus loin, c'est bien plus difficile.

Je suis glacé par le sentiment de l'irréparable. Je ne supporte pas l'idée de ne plus entendre le rire du petit prince. C'est pour moi comme une fontaine dans le désert.

– Je veux encore t'entendre rire…

s'enfuir partir

pâle sans couleur

– Cette nuit, ça fera un an. Mon étoile se trouvera juste au-dessus de l'endroit où je suis tombé. La nuit, tu regarderas les étoiles. Elles seront toutes tes amies. Je vais te faire un cadeau…

Le petit prince rit :

– J'aime entendre ce rire…

– Justement ce sera ton cadeau.

– Quand tu regarderas le ciel la nuit, puisque j'habiterai dans l'une des étoiles et que je rirai, alors ce sera pour toi comme si toutes les étoiles riaient. Tu auras des étoiles qui savent rire ! Tu auras envie de rire avec moi. Ce sera comme si je t'avais donné des tas de petits grelots qui savent rire. Tu sais… cette nuit… ne viens pas. J'aurai l'air d'avoir mal. J'aurai un peu l'air de mourir. C'est comme ça. Ne viens pas. Ce n'est pas la peine. Je te dis ça à cause du serpent. Je ne veux pas qu'il te morde.

– Je ne te quitterai pas.

Cette nuit-là, le petit prince part sans faire de bruit. Mais, je le vois et je le rejoins. Il dit :

– Ah, tu es là… Tu as eu tort*. Tu auras de la

avoir tort faire une erreur

peine. J'aurai l'air d'être mort et ce ne sera pas vrai.

Moi, je me tais.

– Tu comprends, c'est trop loin où je vais. Je ne peux pas emporter ce corps. C'est trop lourd.

Il pleure.

– C'est là. Laisse-moi. Tu sais, ma fleur, j'en suis responsable. Et elle est tellement faible, naïve... Voilà, c'est tout...

Il fait un pas. Moi, je ne peux pas bouger. Il y a un éclair jaune près de sa cheville. Il ne crie pas. Il tombe doucement. Ça ne fait pas de bruit à cause du sable.

Maintenant, cela fait six ans. Je n'ai jamais raconté cette histoire.

Je sais que le petit prince est retourné sur sa planète car au lever du jour, je n'ai pas retrouvé son corps. J'aime la nuit écouter les étoiles. Mais, voilà. La muselière que j'ai dessinée pour le petit prince, j'ai oublié d'y ajouter la courroie* de cuir ! Il n'aura jamais pu l'attacher au mouton.

la courroie lien qui sert à attacher

Et je me demande : « Que s'est-il passé sur sa planète ? Peut-être bien que le mouton a mangé la fleur ? » Et parfois, je me dis : « Non, le petit prince enferme sa fleur sous son globe toutes les nuits. Et il surveille bien son mouton. » Alors, je suis heureux et toutes les étoiles rient doucement. Quelques fois aussi, je pense : « On est distrait une fois et ça suffit ! Il a oublié un soir le globe ou le mouton est sorti sans bruit… » Et tous les grelots se transforment en larmes.

C'est là un grand mystère. Si vous aimez le petit prince comme moi, rien n'est semblable dans l'univers si quelque part, on ne sait où, un mouton que nous ne connaissons pas a, oui ou non, mangé une rose…

Regardez le ciel et demandez-vous : « Le mouton oui ou non a-t-il mangé la fleur ? » Et vous verrez comme tout change.

Et aucune grande personne ne comprendra jamais que ça a tellement d'importance !

Compréhension

1 Réponds aux questions.

Depuis combien de jours les personnages sont-ils dans le désert ?

8 jours

1 Que se passe-t-il ?

....

2 Que cherchent-ils ?

....

3 Comment est le petit prince physiquement ?

....

4 Que promet le narrateur au petit prince ?

....

5 Avec qui parle le petit prince ?

....

6 Pourquoi le narrateur est-il triste ?

....

7 Depuis combien de temps le petit prince est-il sur Terre ?

....

8 Quel cadeau fait le petit prince au narrateur ?

....

9 Pourquoi le petit prince refuse que le narrateur l'accompagne ?

....

10 Comment le petit prince rentre-t-il chez lui ?

....

2 Crée des phrases.

[b] Le petit prince demande au narrateur
1 ☐ Le petit prince ne veut pas que
2 ☐ Le petit prince ne peut pas
3 ☐ Le petit prince doit rejoindre sa fleur
4 ☐ Un éclair jaune frappe
5 ☐ Le narrateur a oublié

a emporter son corps trop lourd.
~~**b**~~ de ne pas venir car il aura l'air de mourir.
c d'ajouter une courroie à la muselière.
d car il est responsable.
e le serpent morde le narrateur.
f près de la cheville du petit prince.

DELF - Production écrite

3 Aide le petit prince à rédiger la carte postale qu'il écrit à sa rose pour lui raconter son séjour sur Terre.

Terre • baobabs • géographe • ~~rose~~ • globe • étrange • businessman • mouton • épines • aviateur • étoiles • roi

Ma chère ......*rose*......,
Avant d'arriver sur (**1**) ...., j'ai rencontré un
(**2**) .... qui régnait sur les (**3**) ....
Il était (**4**) .... Ensuite, j'ai discuté avec un
(**5**) .... qui achetait des étoiles et enfin avec
un (**6**) .... qui ne voyageait pas. Finalement,
sur Terre, j'ai rencontré un (**7**) ....
Je lui ai parlé de toi. Il m'a dessiné un (**8**) ....
pour qu'il mange les (**9**) .... Il faudra faire
attention à toi. Je te mettrai sous ton (**10**) ....
ou j'attacherai le mouton car même si tu as des
(**11**) .... , il pourrait te manger.
Je reviens bientôt
Le petit prince

Antoine de Saint-Exupéry

Antoine de Saint-Exupéry est né à Lyon le 29 juin 1900. Très jeune, il est fasciné par les avions : il fait son baptême de l'air à 12 ans. Même si ses résultats scolaires sont médiocres, il se consacre à l'écriture et remporte le prix de narration de son lycée. Après son baccalauréat en 1917, il échoue au concours de l'École navale. Il fait son service militaire dans un régiment d'aviation à Strasbourg puis à Casablanca. Suite à un accident d'avion en 1923, il ne se remet à voler qu'en 1926 pour effectuer le transport du courrier entre Toulouse et Dakar. C'est à cette époque qu'il publie son premier livre *L'Aviateur*. La même année, en 1926, il entre à la compagnie Latécoère (future Aéropostale) et transporte le courrier de Toulouse au Sénégal avant de rejoindre l'Amérique du Sud en 1929. Parallèlement il publie aussi *Courrier sud* en 1929 et *Vol de nuit* en 1931 qui rencontre un grand succès.

Lors de ses liaisons pour l'Aéropostale, Antoine de Saint-Exupéry rencontre Jean Mermoz et Henri Guillaumet. La société pour laquelle il travaille est en difficulté. En 1935, attaché à Air France, il essaie de battre le record de Paris-Saigon, mais son avion s'écrase dans le désert. En 1938, il tente de relier New York à la Terre de Feu, mais il est blessé et doit rester au repos à New York. Il publie alors *Terre des hommes* qui reçoit le prix de l'Académie Française en 1939. Pendant la seconde Guerre Mondiale, il essaie de s'engager comme pilote de combat aux côtés des Alliés. Mais, de nombreux accidents et sa mauvaise santé l'en empêchent. Il se fixe à New York. Il publie *Pilote de guerre* en 1942 et *Lettre à un otage*. Mais, son plus grand succès arrive avec *Le Petit Prince* en 1943. Au cours d'une mission, le 31 juillet 1944, son avion disparaît au-dessus de la Méditerranée. Saint-Exupéry est reconnu « Mort pour la France ».

Le succès du Petit Prince

Un succès planétaire

Le Petit Prince est un succès planétaire. Traduit tout d'abord en anglais parce que publié aux États-Unis pendant la guerre, les versions étrangères se multiplient par la suite. *Le Petit Prince* est aujourd'hui disponible en 253 langues et dialectes. C'est l'ouvrage de la littérature française le plus traduit dans le monde. Idéal pour l'apprentissage des langues, *Le Petit Prince* est étudié dans les écoles de différents pays étrangers dont le Maroc et le Japon.

Si *Le Petit Prince* connaît un tel succès, c'est qu'il parle à tout le monde. Voici un conte d'enfant pour adultes. C'est une histoire à tiroirs. Il accepte différents niveaux de lecture où chacun, enfant comme adulte, se retrouve. Les enfants voient un conte de fée, tandis que les adultes savent lire la naïveté consciente et voulue de l'œuvre. L'homme doit ici comprendre que l'homme doit passer par le chemin du sentiment.